W9-CEY-902

Thea Landbeck · Christian Orgel · Sascha Wuillemet

Das große
Window-Color-Buch

Fröhlicher Fensterschmuck selbst gemacht

Weltbild

Inhalt

Inhalt

Farbenfrohe Fernsterbilder

Lieben Sie Tiffany? Bewundern Sie die Pracht alter Kirchenfenster und die Kunstfertigkeit der Jugendstil-Glaskünstler? Dann ist Window-Color genau das Richtige für Sie. Denn mit Window-Color lässt sich jede Fensterscheibe, jede Glastür, ja sogar die langweilige Küchenfliese und das alte Badezimmerschränkchen in ein kleines Kunstwerk verwandeln. Das tolle daran: Sie müssen das Glas nicht ersetzen, die Oberfläche nicht neu bearbeiten.

Das Malen mit Window-Color ist kinderleicht. Denn Kontur und Farbe werden direkt aus dem Fläschchen aufgetragen und müssen nur noch trocknen. Sie brauchen nicht einmal am Objekt selbst zu arbeiten, denn als Arbeitsgrund dient eine einfache Folie. So können Sie ganz nach Zeit und Laune malen und das Bild zwischendurch auch einmal ein paar Tage liegen lassen. Erst wenn es fertig ist, wird es an dem vorgesehenen Platz aufgebracht. Und genauso leicht, wie es angebracht wurde, lässt sich Ihr Window-Color-Bild auch wieder abziehen.

Wir haben für Sie die schönsten Motive zusammengestellt. Für jeden Raum, jede Jahreszeit und jeden Anlass finden Sie in diesem Buch das richtige Bild. Egal, ob Sie Ihre eigenen vier Wände verzieren wollen oder nach einem ganz persönlichen Geschenk Ausschau halten, ob Sie allein oder mit Ihren Kindern malen wollen: Jeder findet hier seine Lieblingsfigur.

Für alle, die noch nie mit Window-Color gearbeitet haben, sind auf den folgenden zwei Seiten die wichtigsten, grundlegenden Maltechniken erklärt. Dann folgen die Motive, nach Themengruppen geordnet. Neben jedem Motiv ist die Nummer aufgeführt, unter der Sie die Umrisszeichnung auf den Vorlagenbogen finden. Außerdem sind alle verwendeten Farben aufgelistet. Bei den Farbnamen haben wir möglichst einfache, eindeutige Farbbezeichnungen gewählt, da jede Firma, die Window-Color-Farben anbietet, ihre eigenen Namen hat. Leider hat sich noch keine einheitliche Benennung durchgesetzt. So sagen wir z.B. Hellblau statt Diamantblau oder einfach Rot statt Signalrot. Die Farblisten und Vorlagennummern beziehen sich immer auf das großformatige Foto. Kleine, in den Text eingestreute Bilder sind Schmuckelemente, deren Farben nicht extra aufgeführt werden.

Sie werden sehen, wie viel Freude Sie an Ihrem neuen Hobby haben werden. Nicht zuletzt, weil Sie nicht allzu lange auf das wunderschöne Ergebnis warten müssen.

Wir wünschen Ihnen viel Spaß!

Die Beschreibung dieser leuchtenden Sonne finden Sie auf Seite 91.

Rund ums Malen mit Window-Color

Haben Sie sich bereits für eines unserer schönen Window-Color-Motive entschieden, und wollen Sie Ihre Fenster so schnell wie möglich mit diesem Bild schmücken? Dann nichts wie ran an die Farbflasche. Damit alles wie am Schnürchen klappt, verraten wir Ihnen die wichtigsten Tipps und Tricks zum Thema Window-Color.

Konturen ziehen

Ehe Sie mit dem eigentlichen Malen beginnen können, muss die Vorlage übertragen werden. Legen Sie Ihr gewähltes Motiv dazu unter die Folie, und fixieren Sie es mit Klebestreifen. Besonders praktisch ist es, eine Prospekthülle zu verwenden, in die Sie das Motiv einfach hineinstecken können. Öffnen Sie die Flasche mit der Konturenpaste, halten Sie die Spitze nach unten, und drücken Sie vorsichtig einen etwa zwei Millimeter langen Farbstrang heraus. Setzen Sie dann an einer beliebigen Stelle der Vorlage den Strang auf die Folie, ohne diese mit der Malspitze zu berühren. Ziehen Sie den gesamten Umriss und die Innenlinien nach. Damit der Pastenstrang dabei nicht abreißt, müssen Sie die Flasche gleichmäßig und nicht zu schnell über die Folie führen. Sind Sie fertig, muss die Kontur vier bis acht Stunden trocknen.

Probieren Sie vor dem Malen aus, ob sich die Folie für Window-Color eignet. Sonst lässt sich das Bild später nur schlecht ablösen. Tragen Sie zum Test einfach einen Kreis Farbe auf, lassen Sie ihn trocknen, und prüfen Sie, ob er sich problemlos abziehen lässt.

Flächen ausmalen

Ist die Kontur getrocknet, können Sie mit der farbigen Gestaltung Ihres Window-Color-Bildes beginnen. Öffnen Sie die Farbfläschchen, und tragen Sie die Farbe direkt auf die Folie auf. Die Farbe muss ebenso dick wie die Kontur aufgetragen werden, da das Bild sonst beim Abziehen reißt. Füllen Sie die Farbfelder immer bis zu den Konturlinien. Es dürfen keine Leerstellen übrig bleiben. Um zu kontrollieren, ob der Farbauftrag gleichmäßig und vollflächig erfolgt ist, halten Sie die Folie zwischendurch immer wieder gegen das Licht.

Berühren Sie beim Ausmalen der Flächen nach Möglichkeit nicht die Folie mit der Malspitze. Sonst bleiben später deutliche Linien sichtbar.

Ehe Sie mit der farbigen Gestaltung beginnen, werden die Umrisse mit Konturenpaste nachgezogen.

Mischen von Farben

Alle Farben eines Herstellers sind miteinander mischbar. Sie mischen die Farbtöne direkt auf dem Malgrund, indem Sie die Farben nebeneinander auftragen und mit einem Zahnstocher verrühren. Wenn Sie die Farben nicht völlig vermischen, sondern nur ineinander ziehen, ergibt sich je nach Bewegung des Zahnstochers ein zarter Farbverlauf oder ein wunderschöner Marmoreffekt.

Trocknen lassen

Wie die Kontur muss auch die Window-Color-Farbe völlig trocknen. Das dauert in der Regel acht Stunden. Je nachdem, wie dick die Farbe aufgetragen wurde, kann aber auch ein Tag vergehen, ehe Sie das Bild abziehen können.

Legen Sie kein Papier auf Ihr Window-Color-Bild – egal, ob die Farbe noch feucht oder bereits trocken ist. Denn die Papierfasern bleiben an der Farbe kleben und lassen sich nicht wieder abziehen.

Bilder anbringen

Lösen Sie Ihr Window-Color-Bild an einer Stelle vorsichtig von der Folie, und ziehen Sie es dann langsam völlig ab. Achten Sie dabei darauf, dass sich die Farbflächen nicht berühren, da sie sonst zusammenkleben. Das Bild auf die gereinigte, trockene Fensterscheibe oder einen anderen glatten Untergrund auflegen und leicht andrücken. Um das Bild wieder zu lösen und an einer anderen Stelle zu platzieren, gehen Sie ebenso vor. Lässt sich das Motiv nur schwer abziehen, wärmen Sie es vorher kurz mit dem Fön an.

Da Window-Color-Bilder elastisch sind, haften sie auch auf gebogenen Flächen.

Die wichtigsten Tipps 7

Farbenfrohe Blumengrüße

Ein bunter Sommerstrauß am Fenster heißt liebe Freunde willkommen. Da fühlt sich jeder gleich zu Hause.

Umriss

* Schwarz

Farben

* Transparent
* Weiß
* Dunkelgelb
* Orange
* Rosa
* Rot
* Grasgrün
* Dunkelgrün
* Petrolgrün
* Hellblau
* Royalblau
* Dunkelblau

Vorlage

Nr. 1 a + b

Für die dekorativen Farbverläufe tragen Sie zuerst beide Farben nebeneinander auf und verwischen dann die Übergänge mit einem Zahnstocher.

Zwei Rosen

Rote Rosen sind das Sinnbild der Liebe. Mit der Königin der Blumen kann man der oder dem Geliebten sagen: »Ich mag dich! Wir gehören zusammen.«

Umriss

* Schwarz
* Transparent

Farben

* Transparent
* Rot
* Dunkelrot
* Grasgrün
* Olivgrün

Vorlage

Nr. 2

Wenn Sie die Leerstellen zwischen den Rosen mit transparenter Farbe füllen, lässt sich das Motiv leichter auf das Fenster aufbringen.

Rustikale Blütengirlande

Üppige Blumengirlanden sind ein wunderschöner Fensterschmuck. Wenn es draußen grau und trübe ist, kündet die Blütenpracht von sonnigen Zeiten. Besonders effektvoll ist das Aneinanderreihen von zwei oder mehr Girlanden.

Umriss

* Schwarz

Farben

* Weiß
* Dunkelgelb
* Orange
* Rosa
* Pink
* Grasgrün
* Petrolgrün
* Royalblau

Vorlage

Nr. 3

Wenn Ihnen eine Blüte misslingt, schneiden Sie sie einfach mit dem Cutter aus der Girlande heraus. Malen Sie dann mit der Konturenpaste eine neue Blüte hinein.

Erblühendes Herz

Tulpen, Primeln und Vergissmeinnicht sind die ersten Frühjahrsboten. Die Natur erwacht aus dem Winterschlaf, und jeder schwelgt in Frühlingsgefühlen. Dieses Window-Color-Bild ist auch ein originelles Geschenk zum Valentinstag.

Umriss

* Schwarz
* Transparent

Farben

* Transparent
* Gelb
* Dunkelgelb
* Rot
* Dunkelrot
* Dunkelgrün
* Petrolgrün
* Hellblau
* Royalblau

Vorlage

Nr. 4

Setzen Sie zum Schluss mit einigen Tropfen Gelb Lichteffekte auf die Blütenblätter. Dann wirkt das Fensterbild besonders plastisch.

Fruchtiges Stillleben

Wenn die Tage kürzer werden, lässt sich mit süßen Trauben, saftigen Birnen und knackigen Äpfeln die Erinnerung an den letzten Sommer in den frostigen Winter hinüberretten.

Umriss

* Schwarz

Farben

* Transparent
* Dunkelgelb
* Orange
* Rot
* Grasgrün
* Dunkelgrün
* Violett
* Braun

Vorlage

Nr. 5

Wer es etwas üppiger mag, kann durch Farbverläufe Bäckchen auf Apfel und Birne setzen. Sehr hübsch sieht es auch aus, wenn Sie in die Blätter mit Konturfarbe Rippen einzeichnen und die Flächen mit verschiedenen Grüntönen füllen.

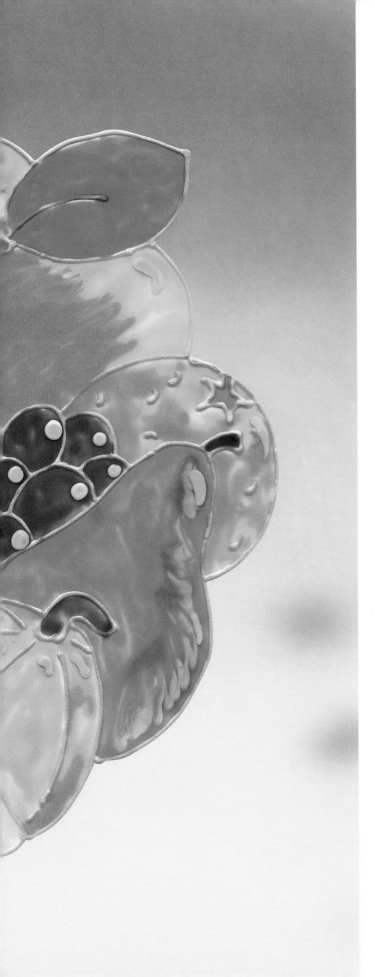

Herbstlicher Früchtekranz

Im Herbst werden die letzten Früchte gepflückt. Zu Erntedank ziert dann ein Kranz aus köstlichem Obst das Zuhause. Die goldene Kontur schafft eine warme, heimelige Farbstimmung.

Umriss

* Gold

Farben

* Transparent
* Weiß
* Gelb
* Orange
* Rot
* Grasgrün
* Dunkelgrün
* Violett
* Braun

Vorlage

Nr. 6

Durch die Komplementärkontraste Rot-Grün und Gelb-Violett wirkt der Früchtekranz besonders lebendig. Weiße und gelbe Glanzlichter sorgen für zusätzliche Effekte.

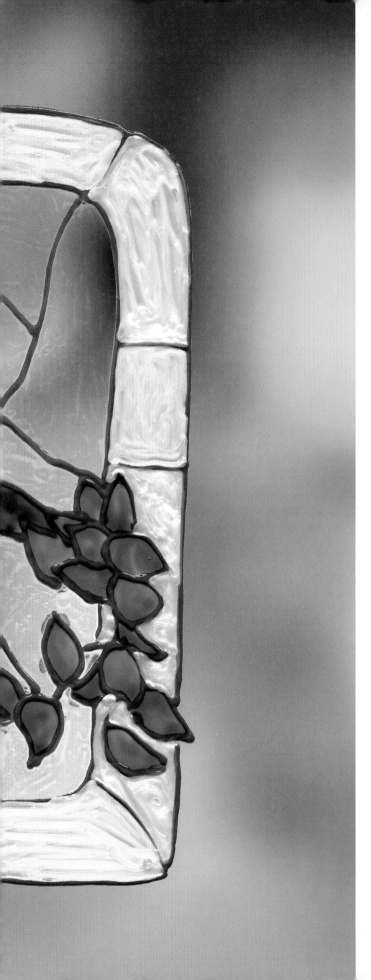

Tropische Vögel

Ein Fenster mit solch bunten Vögeln erinnert das ganze Jahr hindurch an den letzten Sommerurlaub.

Umriss

* Bleifarben

Farben

* Transparent
* Perlmutt-Grün
* Perlmutt-Blau
* Weiß
* Hellgelb
* Dunkelgelb
* Orange
* Pink
* Dunkelrot
* Grasgrün
* Dunkelgrün
* Petrolgrün
* Hellblau
* Royalblau
* Dunkelblau
* Violett
* Braun
* Schwarz

Vorlage

Nr. 7

Elefantenparade

Zwei, drei, vier – marschieren wir. Die Elefantenmutter und ihr Junges bahnen sich ihren Weg durch den Palmenhain.

Umriss

* Bleifarben

Farben

* Weiß
* Dunkelgelb
* Rosa
* Petrolgrün
* Dunkelblau
* Braun
* Hellgrau
* Dunkelgrau

Sonstiges

* Bunte Glitzersternchen
* Bunter Glimmer
* Goldener Glimmer

Vorlage

Nr. 8

Streuen Sie Glimmer und Glitzersternchen immer in die noch feuchte Farbe, nur dann haften die Partikel.

Freches Eichhörnchen

Keck reckt das lustige Eichhörnchen sein Näschen aus den Zweigen. Es ist gekommen, um sich leckere Nüsse zu holen.

Umriss

* Schwarz

Farben

* Weiß
* Dunkelgelb
* Grasgrün
* Dunkelgrün
* Petrolgrün
* Braun
* Schwarz

Vorlage

Nr. 9

> Besonders plastisch wirkt das Eichhörnchen, wenn Sie mit brauner Farbe Schatten ins Fell setzen. Arbeiten Sie dabei nass-in-nass.

Tiere

Moby Dick

Auf seiner Reise durch die Weltmeere ist der riesige Wal aus den Wellen aufgetaucht und bläst seine mächtige Fontäne in den Himmel.

Umriss

* Transparent
* Silber

Farben

* Transparent
* Weiß
* Perlmutt-Blau
* Orange
* Petrolgrün
* Royalblau
* Hellgrau
* Dunkelgrau

Sonstiges

* Bunter Glimmer
* Transparente Glaskügelchen

Vorlage

Nr. 10

Glaskügelchen und Glimmer werden in die noch feuchte Farbe gestreut.

Spielende Kätzchen

Dieses Fensterbild zeigt allen: Hier wohnt ein Katzenfreund! Die munteren Katzenbabys haben sich auf den Weg gemacht, die Welt zu erobern. Jetzt beginnt eine lustige Schmetterlingsjagd. Wer ist schneller?

Umriss

* Schwarz

Farben

* Weiß
* Dunkelgelb
* Rosa
* Rot
* Grasgrün
* Dunkelgrün
* Royalblau
* Braun

Vorlage

Nr. 11

Wollen Sie die Kätzchen zu kleinen Tigern machen, dann malen Sie für das gestreifte Fell in die noch feuchte Farbe ein schwarzes Linienmuster. Ist alles getrocknet, können Sie mit Weiß Akzente setzen.

Turtelnde Spatzen

»Nimm mich.« – »Nein, mich.« Welcher der frechen Spatzen wird wohl das Herz der schönen Spätzin erobern?

Umriss

* Schwarz

Farben

* Weiß
* Dunkelgelb
* Orange
* Rot
* Grasgrün
* Hellblau
* Royalblau
* Braun

Vorlage

Nr. 12

> Wenn Sie das Gefieder der Spatzen strukturieren wollen, setzen Sie die Malspitze auf den Untergrund auf. In der trockenen Farbe sind dann hellere Striche zu sehen.

Tiere

Gänsemarsch

Jeden Morgen macht sich Familie Gans
fröhlich schnatternd auf den Weg zum
Teich. Denn die Jungen müssen das
Schwimmen noch lernen.

Umriss

* Schwarz

Farben

* Weiß
* Dunkelgelb
* Orange
* Rot
* Dunkelgrün
* Royalblau

Vorlage

Nr. 13

Eine hübsche Dekoration fürs Kinder-
zimmer entsteht, wenn Sie mehrere
Gänschen malen und diese in einer
Reihe am unteren Rand des Fensters
entlang watscheln lassen.

Tiere 33

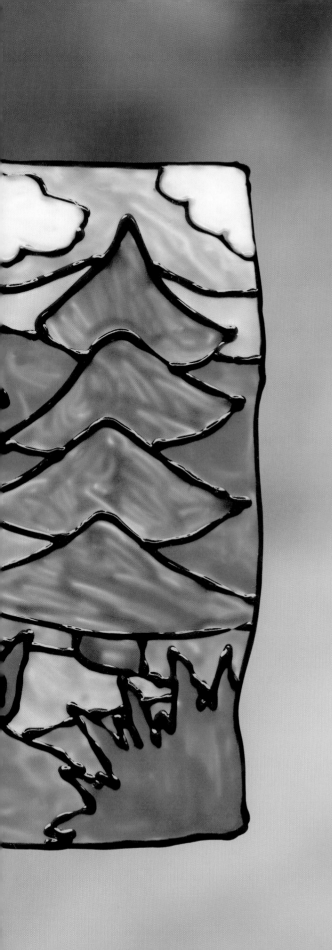

Junges Reh

Wie jeden Morgen ist das kleine Reh zum Trinken an den See gekommen. Jetzt kehrt es in den Wald zurück.

Umriss

* Schwarz

Farben

* Weiß
* Dunkelgelb
* Rosa
* Grasgrün
* Dunkelgrün
* Petrolgrün
* Hellblau
* Braun

Vorlage

Nr. 14

Sie können den Tonwert einer Farbe dadurch verändern, indem Sie sie doppelt auftragen. So entstehen interessante Effekte.

Weidende Kühe

Heute darf das kleine Kälbchen endlich zum ersten Mal mit auf die Weide. Mmh – wie herrlich das frische Gras schmeckt.

Umriss

* Schwarz

Farben

* Weiß
* Gelb
* Pink
* Grasgrün
* Hellblau
* Schwarz

Vorlage

Nr. 15

Malen Sie stets ein Feld nach dem anderen aus, und prüfen Sie zwischendurch im Gegenlicht, ob die Farbe die Kontur berührt.

Tiere

Schneckenmarathon

Mit atemberaubender Geschwindigkeit erklimmt die kleine Schnecke den Hügel. Am Ziel wird sie bereits von ihrer stolzen Mutter erwartet.

Umriss

* Schwarz

Farben

* Weiß
* Gelb
* Rosa
* Rot
* Grasgrün
* Hellblau
* Braun

Vorlage

Nr. 16, 39

Besonders echt sehen die Schnecken aus, wenn Sie das Gehäuse mit verschiedenen Perlmutttönen füllen.

Schweinchen im Glück

Ein laues Lüftchen, Sonnenschein, duftende Blumen und eine schöne, große Pfütze zum Suhlen: Was begehrt das Schweineherz mehr?

Umriss

* Schwarz

Farben

* Weiß
* Gelb
* Dunkelgelb
* Orange
* Rosa
* Pink
* Violett
* Grasgrün
* Hellblau
* Braun
* Dunkelgrau

Vorlage

Nr. 17

Sie können die verschiedenen Rosatöne auch selbst aus Rot und Weiß mischen. Entweder direkt auf der Folie oder in einem leeren Farbfläschchen.

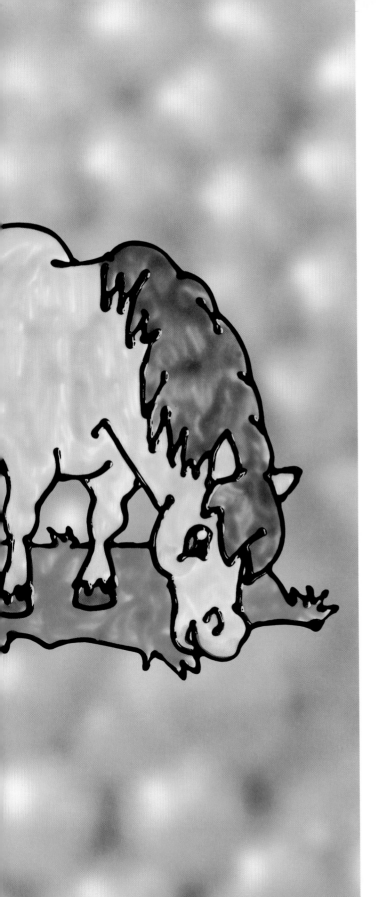

Großes Pony-Treffen

Herumtoben macht hungrig. Nach einem wilden Galopp über Stock und Stein stärken sich die fröhlichen Ponys mit saftigem, grünem Gras.

Umriss

* Schwarz

Farben

* Weiß
* Dunkelgelb
* Rosa
* Grasgrün
* Hellblau
* Braun

Vorlage

Nr. 18

Wenn Ihr Fensterbild durch Staub verschmutzt ist, können Sie es mit einem feuchten, fusselfreien Tuch vorsichtig abwischen. Verzichten Sie dabei auf Reinigungsmittel.

Fröhliche Häschen

Wenn die Häschen nicht gerade Möhren mümmeln, hoppeln sie vergnügt in der Gegend herum. Was gibt es nicht alles zu entdecken!

Umriss

* Schwarz

Farben

* Weiß
* Dunkelgelb
* Orange
* Rosa
* Grasgrün
* Hellblau
* Braun
* Dunkelgrau
* Schwarz

Vorlage

Nr. 19

Nach dem Gebrauch die Malspitze immer mit einem Papiertaschentuch abwischen. Sonst verklebt die trockene Farbe das Löchlein.

Esel August

Sieht er nicht hübsch aus, der kleine Esel? Stolz schreitet er über die Blumenwiese, als wäre er der Prinz auf dem Bauernhof.

Umriss

* Schwarz

Farben

* Weiß
* Rosa
* Grasgrün
* Petrolgrün
* Royalblau
* Dunkelgrau
* Schwarz

Vorlage
Nr. 20

Wie frisch gestriegelt glänzt das Fell des Eselchens, wenn Sie die Kontur in Silberglitter ziehen. Die Vorlagennummer und die Farben für die Blumengirlande rechts oben finden Sie auf Seite 9.

Lustige Vogelscheuche

Vor dieser netten Vogelscheuche hat nicht einmal der Rabe Angst. Gemeinsam schauen sie dem Bauern auf dem Feld bei der Arbeit zu.

Umriss

* Schwarz

Farben

* Weiß
* Gelb
* Rot
* Grasgrün
* Dunkelgrün
* Hellblau
* Braun
* Schwarz

Vorlage

Nr. 21

> Wenn es die Fenstergröße erlaubt, können Sie weitere Wolken malen und über der Vogelscheuche platzieren. Lassen Sie bei diesen Wolken die Sonne einfach weg. Auch die Schmetterlinge von Seite 28 oder Seite 155 passen gut hierhin.

Auf dem Bauernhof

Auch wenn die Ferien auf dem Bauernhof schon vorbei sind, erinnert dieses Bild die Kleinen noch lange daran.

Umriss

* Schwarz

Farben

* Weiß
* Gelb
* Rosa
* Rot
* Grasgrün
* Dunkelgrün
* Hellblau
* Braun
* Schwarz

Vorlage

Nr. 22

Verkleinern Sie die passenden Tiervorlagen aus diesem Buch auf dem Kopierer, um den Bauernhof mit Vierbeinern und Federvieh zu bevölkern. Infrage kommen die Kätzchen von Seite 29, die Gänse von Seite 33, die Kühe von Seite 37, das Schweinchen von Seite 41 und der Esel von Seite 47.

Bunter Regenbogen

April, April, der weiß nicht, was er will.
Wenn das Wetter ständig wechselt, zeigt
sich zum Trost vielleicht ein bunter
Regenbogen am Himmel, und die gute
Laune ist gerettet.

Umriss

* Schwarz

Farben

* Transparent
* Gelb
* Orange
* Rosa
* Rot
* Grasgrün
* Dunkelgrün
* Hellblau
* Royalblau
* Violett
* Braun

Vorlage

Nr. 23

Wenn sich beim Auftragen der Farben
Luftblasen bilden, stechen Sie diese vor
dem Trocknen vorsichtig mit einer
Nadel auf.

Spannende Ballon-fahrt

Ganz schön aufregend, wenn der Ballon in die Lüfte steigt. Schon nach kurzer Zeit kann der kleine Junge beinahe die Wolken berühren.

Umriss

* Schwarz

Farben

* Weiß
* Gelb
* Rosa
* Rot
* Dunkelgrün
* Hellblau
* Braun

Vorlage

Nr. 24

Damit sich der Ballon gut vom Malgrund lösen lässt, können Sie die Flächen zwischen den Ballonseilen mit Transparent füllen.
Hübsch sieht es auch aus, wenn man noch einen zweiten Ballon »aufsteigen« lässt und diesen mit anderen Farben ausmalt.

Schlafendes Bärchen

Schlaf, Teddy, schlaf. Sterne und Mond beschützen den kleinen Bären, und unter der kuscheligen Decke träumt es sich noch mal so gut.

Umriss

* Schwarz

Farben

* Weiß
* Gelb (pastell)
* Rosa (pastell)
* Hellgrün (pastell)
* Hellblau (pastell)
* Braun

Vorlage

Nr. 25

Anstelle der deckenden Pastellfarben können Sie auch transparente Farbtöne verwenden. Für Sterne und Mond bieten sich auch Nachtleuchtfarben an.

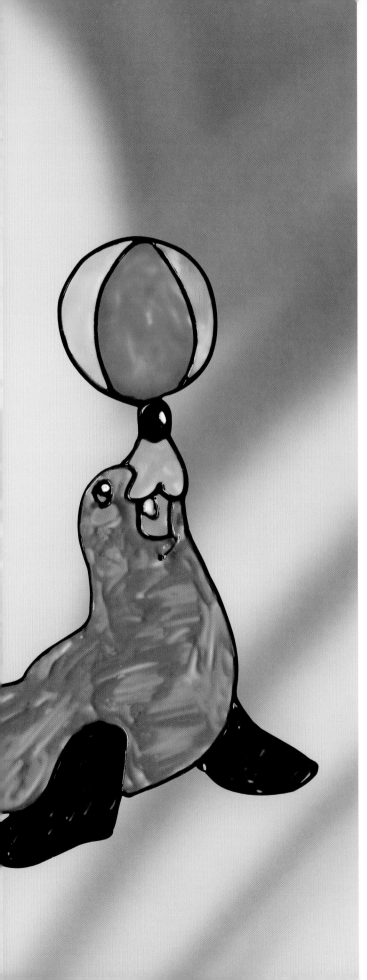

Im Zirkus

Es hat bestimmt ganz schön lange gedauert, bis der Clown Pipo dem Seehund dieses Kunststück beigebracht hat. Aber jetzt sind sie die Stars der Manege.

Umriss

* Schwarz

Farben

* Weiß
* Gelb
* Orange
* Rosa
* Dunkelrot
* Grasgrün
* Hellblau
* Dunkelgrau
* Schwarz

Vorlage

Nr. 26

Wenn Sie einen zweiten Seehund seitenverkehrt malen und einen dritten Ball in die Luft setzen, sieht es aus, als würden die Tiere jonglieren. Dazu zeichnen Sie mit Transparentpapier die Vorlage ab, drehen das Blatt um und zeichnen die spiegelverkehrten Linien nach.

Tanzende Drachen

Der Sturmwind peitscht durch die Luft.
Nur die mutigen Drachen wagen sich
hinaus und tanzen am Himmel ihren
Drachentanz.

Umriss

* Grün
* Blau

Farben

* Weiß
* Gelb
* Gelb (pastell)
* Rot
* Dunkelgrün
* Royalblau
* Schwarz

Vorlage

Nr. 27

Bei schmalen und hohen Fenstern
sieht es schön aus, wenn Sie die
Drachenschweife um weitere bunte
Schleifen verlängern.

St.-Martins-Umzug

Laterne, Laterne – Sonne, Mond und Sterne. Eine Nachtwanderung mit Laternen macht jedem Kind Spaß.

Umriss

* Schwarz

Farben

* Dunkelgelb
* Rosa
* Rot
* Dunkelgrün
* Royalblau
* Braun

Vorlage

Nr. 28

Sie können die Kinder auch mehrmals vom Vorlagenbogen übertragen und in anderen Farbtönen ausmalen. So bringen Sie einen ganzen Martinszug auf die Scheibe.

Spielende Kinder

Die Schule ist aus! Endlich haben die Kinder Zeit zum Spielen. Hoffentlich wird es noch nicht so schnell dunkel.

Umriss

* Schwarz

Farben

* Weiß
* Gelb
* Rosa
* Rot
* Grasgrün
* Royalblau
* Braun

Vorlage

Nr. 29

Wenn Sie Risse in den getrockneten Figuren entdecken, können Sie diese mit Transparent flicken.

Schaukelpferdchen

Hoppe, hoppe Reiter – wenn er fällt, dann schreit er. Mit dem Schaukelpferd geht's auf die Reise.

Umriss

* Schwarz

Farben

* Weiß
* Rot
* Dunkelgrün
* Royalblau
* Schwarz

Vorlage

Nr. 30

Wenn Sie beim Ausmalen der Mähne und des Schweifs die Malspitze am Grund aufsetzen, ergibt sich eine haarähnliche Struktur. Das Augeninnere wird mit Royalblau ausgefüllt.

Persönliches Namensschild

Wenn so ein tolles Namensschild an der Zimmertüre oder am Fenster klebt, weiß jeder gleich, wer hier wohnt.

Umriss

* Schwarz

Farben

* Transparent
* Weiß
* Gelb
* Orange
* Rosa
* Rot
* Grasgrün
* Petrolgrün
* Royalblau

Vorlage

Nr. 31

Falls dieses Motiv an der Zimmertür platziert wird, sollten Sie an einer versteckten Stelle testen, ob sich die Lackoberfläche mit der Farbe verträgt. Bei empfindlichen Materialien können Farbspuren zurückbleiben. Sicher ist sicher.

Fliegender Teddybär

In seinem superschnellen Turbo-Propeller-Flugzeug ist der Teddy der König der Lüfte. Gerade setzt er zum Looping an.

Umriss

* Schwarz

Farben

* Transparent
* Weiß
* Dunkelgelb
* Rosa
* Pink
* Petrolgrün
* Braun

Vorlage

Nr. 32

Die Sonne finden Sie auf Seite 155. Sie können den Teddy auch durch ein Wolkenmeer fliegen lassen. Verwenden Sie als Vorlage die Wolke auf Seite 49 (Vorlage 21).

Hänsel und Gretel

Hänsel und Gretel verliefen sich im Wald … Gerade haben die Kinder das Knusperhaus der bösen Hexe entdeckt.

Umriss

* Schwarz

Farben

* Weiß
* Gelb
* Dunkelgelb
* Orange
* Rosa
* Rot
* Grasgrün
* Dunkelgrün
* Royalblau
* Braun
* Hellgrau
* Schwarz

Vorlage

Nr. 33, 72

> Für ein winterliches Fensterbild können Sie zusätzlich silbernen Glimmer auf das Hexenhäuschen und die Tannenbäume streuen. Die Farbe muss dabei noch feucht sein.

Die sieben Zwerge

Fröhlich kommen die sieben Zwerge von der Arbeit nach Hause zurück. Sie wollen Schneewittchen mit einem großen Kürbis überraschen.

Umriss

* Schwarz

Farben

* Weiß
* Dunkelgelb
* Orange
* Rosa
* Rot
* Dunkelrot
* Grasgrün
* Petrolgrün
* Braun
* Dunkelgrau

Vorlage

Nr. 34 a + b

Ein einzelner Zwerg ist eine lustiges Motiv, wenn Sie einen Plastikcontainer für Spielsachen verzieren wollen.

Muntere Bootspartie

Land in Sicht. Nur noch ein paar Meter, dann ist die Insel erreicht. Walross und Möwen sehen zu, wie das Boot mit den lustigen Segeln vor Anker geht.

Umriss

* Schwarz

Farben

* Weiß
* Dunkelgelb
* Rosa
* Rot
* Royalblau
* Dunkelgrau

Vorlage

Nr. 35

Sie können dieses Motiv gut mit dem Walfisch von Seite 26 (Vorlage 10) zu einem großen Wasserbild kombinieren. Verbinden Sie dazu die Wasserflächen an den Rändern.

Die vier Jahreszeiten

Jede Jahreszeit hat ihren eigenen Reiz.
Frühling, Sommer, Herbst und Winter
sind in diesem Baum vereint.

Umriss

* Schwarz

Farben

* Transparent
* Weiß
* Dunkelgelb
* Orange
* Rot
* Grasgrün
* Dunkelgrün
* Petrolgrün
* Braun

Vorlage

Nr. 36

Sie erzielen einen Tiffany-Effekt, wenn
Sie den Rahmen in kleine Felder
unterteilen und in unterschiedlichen
Farbtönen ausmalen. Den Hintergrund
sollten Sie dann in Perlmutt gestalten.
Den Käfer finden Sie auf Seite 137, das
Obst auf Seite 151.

Lachender Schneemann

Die Tage sind kurz, draußen ist es klirrend kalt. Der Schneemann aber freut sich über den eisigen Frost.

Umriss

* Silber

Farben

* Weiß
* Schneeweiß
* Dunkelgelb
* Orange
* Hellblau
* Dunkelblau
* Braun
* Dunkelgrau
* Schwarz

Vorlage

Nr. 37

Die silberne Kontur verleiht diesem winterlichen Motiv ein frostiges Glitzern. Sie können diesen Effekt steigern, indem Sie silbernen Glimmer in den Schnee streuen. Die Farbe muss dafür noch feucht sein. Der Mond ist auf Seite 89 beschrieben.

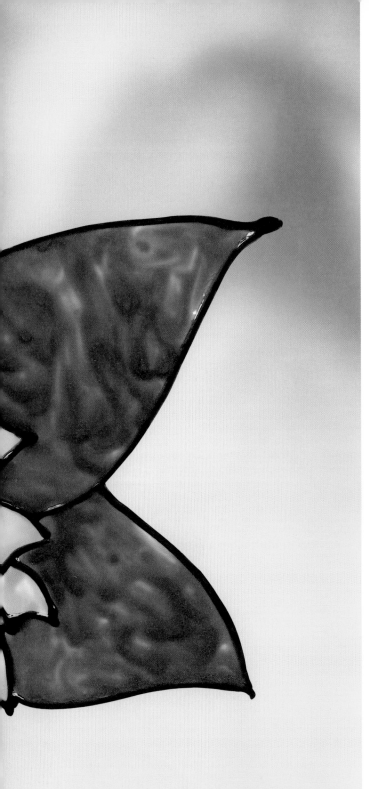

Prächtige Sonnenblumen

Im Spätsommer erblüht die Natur noch einmal in den kräftigsten Farben. Jetzt ist es Zeit, sich einen großen Strauß Sonnenblumen ins Zimmer zu holen.

Umriss

* Schwarz

Farben

* Gelb
* Dunkelgelb
* Orange
* Rot
* Olivgrün

Vorlage

Nr. 38

Variieren Sie die Blütenblätter in Gelb und Orange, oder planen Sie einen Farbverlauf ein. Dann sehen die Blumen noch üppiger aus.

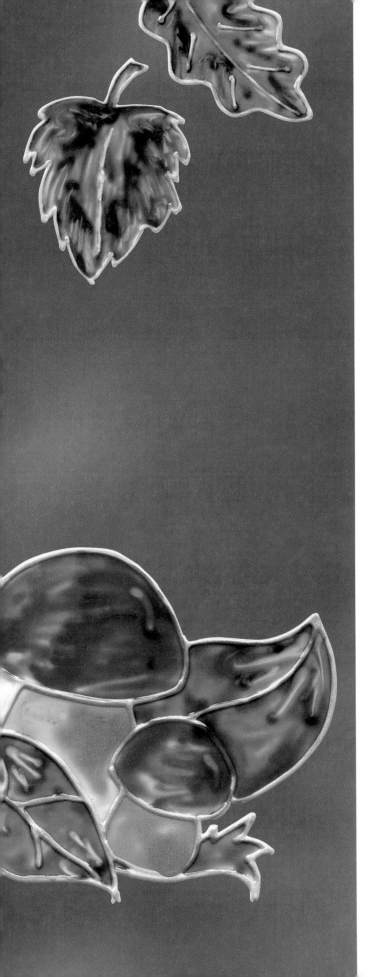

Stimmungsvolles Herbstbild

Es ist Herbst, die Bäume verlieren ihre Blätter. Die Früchte der Felder und Wälder sind reif. Die Ernte kann beginnen.

Umriss

* Gold

Farben

* Weiß
* Gelb
* Orange
* Rot
* Dunkelgrün
* Olivgrün
* Violett
* Braun

Vorlage
Nr. 39

Wenn Sie einige rote Striche in die Blätter setzen, sieht das Laub besonders herbstlich aus.

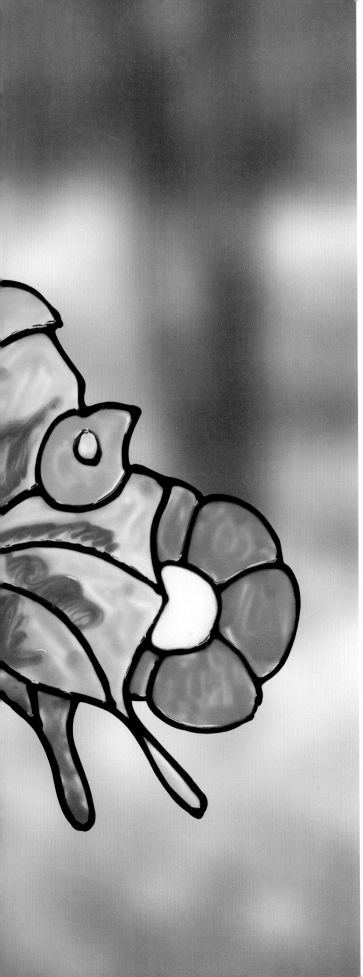

Erwachender Frühling

Wenn die Frühlingssonne ihre ersten wärmenden Strahlen ausschickt, erwacht die Natur aufs Neue. Schmetterlinge und Blüten geben sich auf Ihrem Fenster ein Stelldichein.

Umriss

* Schwarz

Farben

* Weiß
* Gelb
* Orange
* Rosa
* Pink
* Grasgrün
* Hellblau
* Royalblau

Vorlage

Nr. 40

Schmetterlinge und Blüten wirken besonders plastisch, wenn Sie helle und dunkle Farben nebeneinander setzen und die Übergänge in der noch feuchten Farbe mit einem Holzstäbchen verwischen.

Nächtlicher Himmel

Auch wenn sich der echte Mond nicht am Himmel blicken lässt, kommt mit diesem Fensterbild romantische Stimmung auf. Die Fledermaus zieht dazu lautlos ihre Bahn.

Umriss

* Transparent
* Bleifarben
* Silberglitter
* Goldglitter

Farben

* Transparent
* Weiß
* Perlmutt-Grün
* Silberglitter
* Goldglitter
* Orange
* Rot
* Dunkelblau
* Braun
* Schwarz
* Nachtleuchtfarbe

Vorlage

Nr. 41 a + b

Durch die Nachtleuchtfarben strahlt der Mond auch in der Dunkelheit.

Strahlende Himmelskörper

Der prächtige Komet funkelt mit der strahlenden Sonne um die Wette. Wer ist der hellste Himmelskörper?

Umriss

* Silberglitter
* Goldglitter
* Gold

Farben

* Glitterweiß
* Silberglitter
* Goldglitter
* Gold
* Kupfer
* Gelb
* Hellgelb
* Dunkelgelb
* Orange

Vorlage

Nr. 42 a + b

> Die Sonne erscheint transparenter, wenn Sie anstatt der Metallic-Farben Gelb, Orange und Rot verwenden. Eine goldene Kontur verleiht dieser Sonne (siehe auch Seite 4) Glanz.

Meditationskreise

Ein selbst gestaltetes Fenster-Mandala lädt zum Entspannen und Meditieren ein. Wer den Linien folgt, findet zu sich selbst und schöpft neue Kraft.

Umriss

* Blau

Farben

* Transparent
* Hellgelb
* Orange
* Olivgrün
* Dunkelblau

Vorlage

Nr. 43

Sind Sie beim Malen der Kontur einmal abgerutscht, beheben Sie das Malheur sofort mit einem trockenen Wattestäbchen, und ziehen Sie dann die Linie neu. Füllen Sie die Konturen auch mal mit anderen Farben. Etwa Ton-in-Ton nur mit warmen oder nur mit kühlen Farbtönen. Wählen Sie dazu eine passende Konturfarbe; vor allem Gold und Silber sind sehr wirkungsvoll.

Indische Rose

Der Anblick von Ranken und Blüten verzaubert die Herzen. Die prachtvollen Ornamente dieses Mandalas verleihen dem Raum eine orientalische Note.

Umriss

* Bleifarben

Farben

* Dunkelgelb
* Orange
* Petrolgrün

Vorlage

Nr. 44

Ist Ihnen das Muster zu schlicht? Dann setzen Sie in jedes Farbfeld mehrere Farbtupfen in einem etwas dunkleren Ton, und ziehen Sie die Farben mit einem Zahnstocher spiralförmig ineinander. Haben Sie schon einmal versucht, selbst ein Mandala zu gestalten? Für eine Vorlage legen Sie einen Teller in der gewünschten Größe auf ein Blatt Papier und ziehen mit einem Bleistift den Umriss nach. Um den Kreismittelpunkt werden dann symmetrische Formen angelegt.

Engelsgruß

Wie in einem prächtigen Kirchenschatz glitzern Gold und Kupfer um die Wette. Und die vier Engel grüßen freundlich den Betrachter.

Umriss

* Gold

Farben

* Goldglitter
* Gold
* Kupfer

Vorlage

Nr. 45

Wenn Sie keine Glitterfarben haben, können Sie die Flächen mit Transparent ausmalen und mit losen Glimmerpartikeln bestreuen.

Blumen und Blätter

Auf dem herbstlich getönten Laub läuten kleine, rote Glockenblumen den Abend ein. Es wird Zeit, von der Hektik des Tages Abstand zu nehmen.

Umriss

* Rot

Farben

* Gelb
* Orange
* Rot
* Royalblau

Vorlage

Nr. 46

Je nach Jahreszeit oder Stimmung können Sie die Flächen innerhalb der Kontur mit unterschiedlichen Farben ausmalen.

Rankende Blüten

Wie frisch gesprossener wilder Wein winden sich zarte, blühende Ranken um das Fenster und erfüllen den Raum mit nostalgischem Charme.

Umriss

* Transparent
* Silber

Farben

* Transparent
* Weiß
* Dunkelgelb
* Orange
* Petrolgrün
* Dunkelblau

Vorlage

Nr. 47

Wenn Sie die Vorlage spiegeln, können Sie alle vier Ecken Ihres Fensters mit Blütenranken verzieren. Ein richtiges Kunstwerk entsteht, wenn Sie innerhalb dieses Rahmens ein schönes Motiv Ihrer Wahl setzen. Vorausgesetzt, das Fenster ist groß genug. Die Farben sollten harmonisch auf die Farben des Rahmens abgestimmt werden.

Jungendstil

Träumender Schwan

Der Tag erwacht. Ehe die anderen Was-
servögel dazukommen, dreht der mächtige Schwan im Sonnenaufgang seine ein-
samen Runden auf dem See.

Umriss

* Schwarz

Farben

* Weiß
* Dunkelgelb
* Orange
* Olivgrün
* Dunkelgrün
* Hellblau

Vorlage

Nr. 48

Damit man die Struktur des Kranzes
gut erkennt, müssen Sie die Blätter
in unterschiedlichen Grüntönen ausmalen.

Fantastisches Spinnennetz

Wie ein zauberhaftes Bild hat eine Spinne ihr Netz in einen alten Rahmen geknüpft. Blumen haben sich um ihn gerankt. Fast meint man, die Zeit stände für einen Moment still.

Umriss

* Schwarz

Farben

* Dunkelgelb
* Orange
* Pink
* Rot
* Petrolgrün
* Royalblau
* Dunkelblau
* Purpur

Vorlage

Nr. 49

Wenn Sie zarte Farben lieben, malen Sie das Spinnennetz in unterschiedlichen Perlmutt-Tönen aus. Auf Seite 21 finden Sie ein schönes Beispiel für die Kombination von Perlmutt-Grün und Perlmutt-Blau.

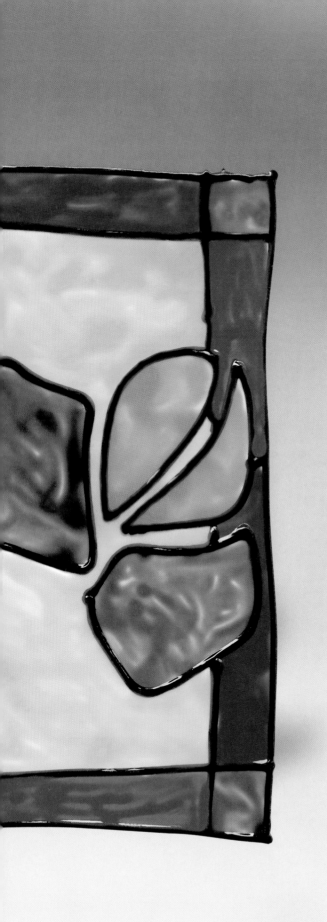

Nostalgisches Blumenfenster

Wer liebt sie nicht, die Formensprache des Jugendstils. Romatische, große Blüten und prächtige Farben verzaubern jedes Fenster in ein kleines Kunstwerk.

Umriss

* Schwarz

Farben

* Dunkelgelb
* Rosa
* Pink
* Petrolgrün
* Violett

Vorlage

Nr. 50

Bei kleinen Scheiben sieht es hübsch aus, wenn Sie die Vorlage so auf dem Kopierer vergrößern, dass das Bild das ganze Fenster füllt. Einen besonderen Effekt erzielen Sie, wenn Sie statt der schwarzen Kontur eine bleifarbene oder goldene Kontur wählen.

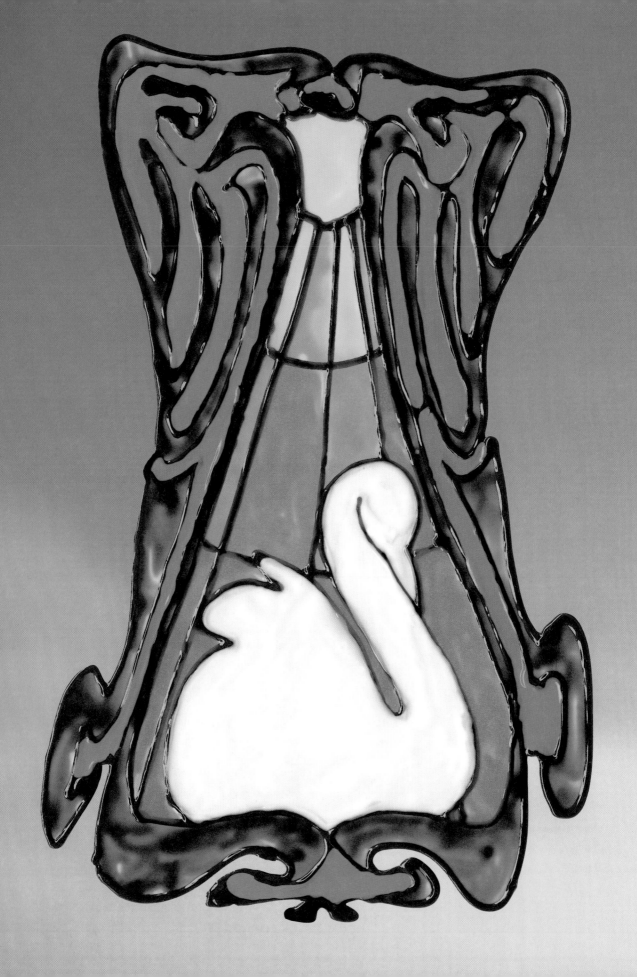

Schwanensee

Dieses ornamentale Fensterbild wirkt besonders elegant. Denn die Linienführung des Schwans findet in den schwungvollen Formen des Rahmens eine würdige Fassung.

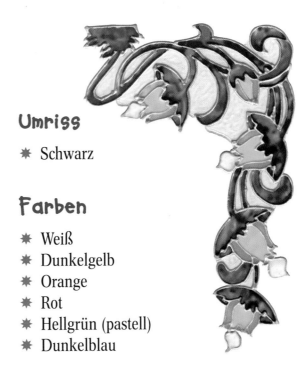

Umriss

* Schwarz

Farben

* Weiß
* Dunkelgelb
* Orange
* Rot
* Hellgrün (pastell)
* Dunkelblau

Vorlage

Nr. 51

> Da dieses Motiv sehr prägnant ist, sollte es auf jeder Scheibe nur einmal aufgebracht werden. Sie können es jedoch nach Belieben mit jugendstilartigen Ranken kombinieren.

Blüten und Ranken

Zierliche Blattranken passen zu jeder Jahreszeit. Zusammen mit bunten Blüten lässt sich aus diesen Elementen ein sommerliches Fensterbild zaubern.

Umriss

* Schwarz

Farben

* Dunkelgelb
* Pink
* Rot
* Dunkelgrün
* Petrolgrün

Vorlage

Nr. 52

Die Motive lassen sich mit vielen anderen Bildern aus diesem Buch kombinieren. Sie können sie jedoch auch als einzelne Gestaltungselemente auf die Fensterecken aufbringen. Die Blüten und Ranken sind besonders gut dazu geeignet, Kacheln in Badezimmer und Küche, Glastüren, Glasscheiben von Vitrinen und anderes Möbiliar mit glatten Oberflächen zu verzieren. Lassen Sie Ihre Fantasie spielen!

Muster und Schmuck

Ornamentaler Rahmen

Wird das Glas mit solch einem prächtigen Rahmen gefasst, wirkt jedes Fenster wie eine Antiquität. Vor allem dann, wenn die Farben auf die Einrichtung abgestimmt werden.

Umriss

* Bleifarben

Farben

* Weiß
* Gelb
* Orange
* Petrolgrün
* Braun

Vorlage

Nr. 53

Kopieren Sie die Vorlage viermal (zweimal davon spiegelverkehrt), und verlängern Sie die Geraden je nach Fenstermaß. Arbeiten Sie dann den Rahmen in vier Teilen, und setzen Sie ihn erst am Fenster zusammen. Zwischen die Rahmenteile können Sie als Bindeglieder den Apfel oder die Birne von Seite 150 setzen (Vorlagen 71, 72).

Blumenbogen

Die farbenfrohen Sommerblumen passen auf jedes Fenster. Man kann sie als Einzelmotiv verwenden oder zu einer dekorativen Girlande zusammensetzen.

Umriss

* Schwarz

Farben

* Weiß
* Gelb
* Rot
* Grasgrün
* Petrolgrün
* Hellblau

Vorlage

Nr. 54

Besonders gut lässt sich das Motiv zum Fenster putzen abnehmen, wenn Sie es auf spezielle Fensterfolie malen und mit dieser anbringen.

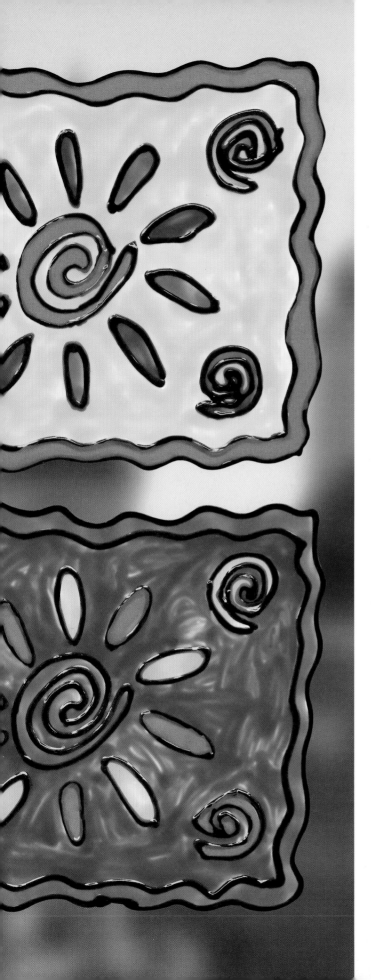

Blütenvariationen

Jugendstil meets Pop-Art. Die schwungvollen Elemente lassen sich mit nostalgischen und modernen Motiven sehr schön kombinieren.

Umriss

* Schwarz

Farben

* Dunkelgelb
* Orange
* Rot
* Grasgrün
* Petrolgrün
* Dunkelblau

Vorlage

Nr. 55 a + b

Um den Ornamenten zusätzlichen Glanz zu verleihen, können Sie farbigen Glimmer auf die dunklen, noch feuchten Farbflächen streuen.

Osterspaziergang der Gänse

Mutter Gans ist mit ihrem Jungen auf Wanderschaft. Aber halt! Haben sich hier nicht ein paar fremde Küken versteckt?

Umriss

* Schwarz

Farben

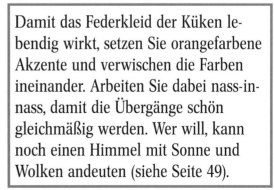

* Weiß
* Dunkelgelb
* Orange
* Rosa
* Rot
* Grasgrün
* Petrolgrün
* Royalblau

Vorlage

Nr. 56

Damit das Federkleid der Küken lebendig wirkt, setzen Sie orangefarbene Akzente und verwischen die Farben ineinander. Arbeiten Sie dabei nass-in-nass, damit die Übergänge schön gleichmäßig werden. Wer will, kann noch einen Himmel mit Sonne und Wolken andeuten (siehe Seite 49).

Familie Osterhase

Kurz vor dem Fest ist bei Familie Hase Hochbetrieb. Während die Mutter den bunten Pinsel schwingt, sucht der Vater die schönsten Verstecke.

Umriss

* Schwarz

Farben

* Weiß
* Gelb
* Dunkelgelb
* Rosa
* Pink
* Rot
* Grasgrün
* Dunkelgrün
* Royalblau
* Braun
* Hellgrau
* Dunkelgrau

Vorlage

Nr. 57

Damit sich die Motive schneller auf das Fenster aufbringen lassen, verbinden Sie die einzelnen Figuren mit Transparent.

Hähne und Ostereier

Ach, hätten an Ostern nicht Hühner und Hasen viel weniger Arbeit, wenn einmal die Hähne bunte Eier legen würden?

Umriss

* Schwarz

Farben

* Weiß
* Gelb
* Dunkelgelb
* Orange
* Rosa
* Pink
* Rot
* Dunkelgrün
* Hellblau
* Royalblau
* Violett

Vorlage

Nr. 58

> Bei der Gestaltung des Ostereis können Sie vom Vorlagenbogen abweichen und es mit beliebigen Farben und Mustern ausmalen oder mit verschiedenfarbigen Konturen arbeiten.

Romantischer Osterkranz

Ein Gebinde aus frischem Blattwerk und Blüten heißt an Ostern liebe Gäste will-kommen und lädt den Osterhasen ein, möglichst viele Eier zu verstecken.

Umriss

* Schwarz

Farben

* Transparent
* Weiß
* Gelb
* Orange
* Grasgrün
* Dunkelgrün
* Hellblau

Vorlage

Nr. 59

Dieser Kranz sieht auch dann sehr hübsch aus, wenn Sie ihn mit nicht transparenten Pastellfarben ausmalen.

Leuchtender Advent

Advent, Advent, ein Lichtlein brennt. In den klassischen Weihnachtsfarben Rot und Grün sorgt dieses Fensterbild für Festtagsstimmung.

Umriss

* Schwarz

Farben

* Dunkelgelb
* Orange
* Rot
* Petrolgrün
* Dunkelgrün

Vorlage

Nr. 60

Tragen Sie die Farbe für die Kerze doppelt auf, damit der Kontrast zur transparenten Flamme deutlicher wird.

Weihnachtsmann und Engel

Von drauß' vom Walde komm ich her. Ich muss euch sagen, es weihnachtet sehr! Der Engel vertreibt uns mit seinem Trompetenspiel die Zeit bis zum Fest.

Umriss

* Silber
* Gold

Farben

* Weiß
* Dunkelgelb
* Rosa
* Rot
* Dunkelblau
* Braun
* Gold

Sonstiges

* Bunte Glitzersternchen

Vorlage

Nr. 61 a + b

Zusätzlich können Sie Silberglimmer in den Schnee und auf die Engelsflügel streuen.

Bunte Weihnachts-
motive

Sterne, Mond, Christbaumkugeln, Weihnachtsbaum und Geschenke sind einfache Klassiker unter den Weihnachtsmotiven, die jedes Fenster zu einem Blickfang machen.

Umriss

* Schwarz

Farben

* Dunkelgelb
* Rot
* Dunkelgrün
* Royalblau
* Braun

Vorlage

Nr. 62

Wer es besonders prächtig mag, kann die Motive auch mit Glitter- oder Metallic-Farben ausmalen und auf Baum, Geschenk und Kugel mit farbigem Glimmer Akzente setzen. Silberne und goldene Konturen verleihen den Motiven festlichen Glanz. Hübsch ist es auch, den weihnachtlichen Plätzchenteller mit diesen Motiven zu verzieren.

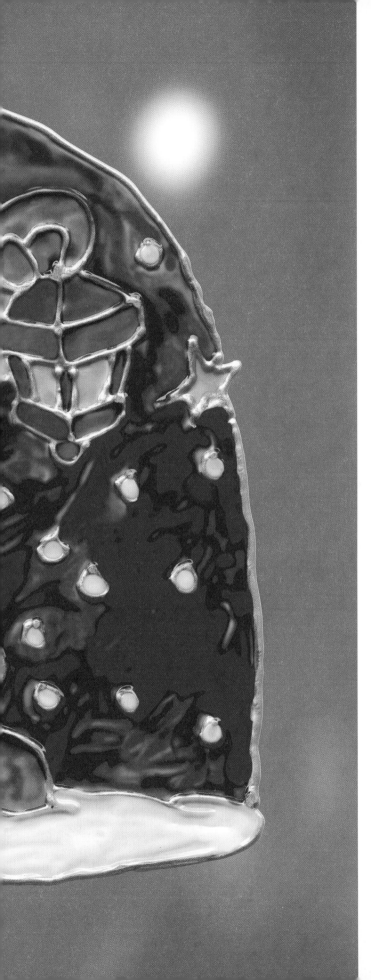

Santa Claus

Mit einem großen Sack voller Geschenke hat sich Santa Claus auf den Weg gemacht, um jedem Kind zum Weihnachtsfest eine Freude zu bereiten.

Umriss

* Silber

Farben

* Weiß
* Dunkelgelb
* Rosa
* Rot
* Olivgrün
* Dunkelblau
* Braun

Vorlage

Nr. 63

Wenn Sie das Bild erweitern wollen, setzen Sie auch außerhalb des Bogenfeldes einige Sterne auf das Fenster.

Teddy mit Ballons

Mit einer Hand voll bunter Luftballons wünscht der kleine Teddy dem Geburtstagskind viel Glück und alles Gute.

Umriss

* Schwarz

Farben

* Weiß
* Gelb
* Dunkelgelb
* Orange
* Rot
* Dunkelgrün
* Royalblau
* Schwarz

Vorlage
Nr. 64

Noch farbenfroher erscheint das Bild, wenn Sie jeden Ballon mit einer bunten Kontur fassen. Entweder Ton-in-Ton oder in einer schönen Kontrastfarbe.

Happy New Year

5, 4, 3, 2, 1 – Happy New Year. Hufeisen, Marienkäfer, Fliegenpilze und Schweinchen wünschen ein fröhliches neues Jahr.

Umriss

* Silberglitter

Farben

* Transparent
* Weiß
* Dunkelgelb
* Rosa
* Pink
* Rot
* Olivgrün
* Dunkelblau
* Schwarz

Sonstiges

* Bunter Glimmer

Vorlage

Nr. 65

Damit die Glücksbringer schön strahlen, wird Glimmer in die noch feuchte Farbe gestreut. Sie können auch Farbe mit Glitzereffekt verwenden.

Muttertags-Gruß

Über ein solch schönes Herz freut sich sicherlich jede Mutter. Besonders dann, wenn Schriftband und Blüten in den Lieblingsfarben der Beschenkten ausgemalt wurden.

Umriss

* Schwarz

Farben

* Weiß
* Dunkelgelb
* Orange
* Rot
* Royalblau

Vorlage

Nr. 66

> Sie können auf das Schriftband auch den Namen des oder der Liebsten schreiben und das Herz zum Valentinstag verschenken.

Freundschaftsbild

Fröhlich tanzen die bunten Männchen auf der Scheibe und zeigen jedem, dass hier Menschen wohnen, die glücklich darüber sind, gute Freunde haben.

Umriss

* Schwarz

Farben

* Dunkelgelb
* Orange
* Rot
* Petrolgrün

Vorlage

Nr. 67

> Je inniger die Freundschaft, desto mehr Männchen können Sie aneinander reihen. Damit sich das Freundschaftsband ohne Probleme und schnell auf die Scheibe aufbringen lässt, sollten Sie die einzelnen Elemente mit Transparent verbinden.

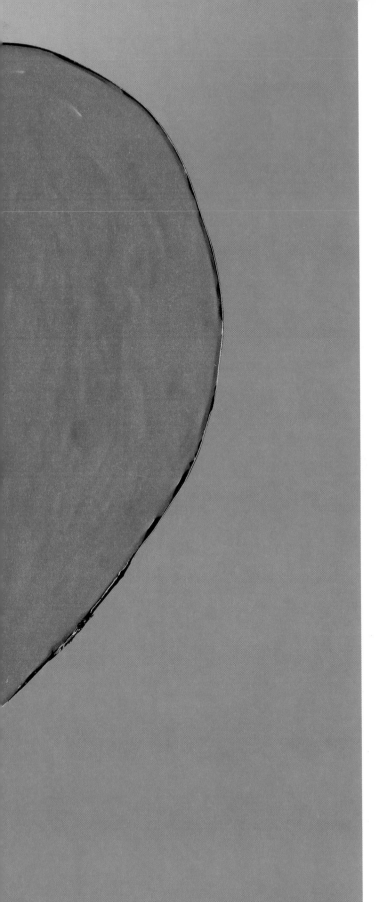

Herzliche Liebesgrüße

Die kleine Maus macht ihrem Geliebten ein großes Geschenk. Sie legt ihm ihr Herz zu Füßen. Wenn das kein Liebesbeweis ist!

Umriss

* Schwarz

Farben

* Weiß
* Rosa
* Rot
* Royalblau
* Braun
* Schwarz

Vorlage

Nr. 68

Wenn Sie das Herz plastischer gestalten wollen, verschatten Sie die Ränder mit Dunkelrot, und verwischen Sie die Übergänge. Setzen Sie außerdem an einer Rundung ein weißes Glanzlicht. Das Herz ist so groß, dass auch ein Liebesgruß oder der Name der geliebten Person hineinpasst. Romantiker streuen noch etwas Goldglimmer auf.

Traum-Hochzeit

Vergissmeinnicht, Rosen, Turteltauben und Ringe mögen dafür sorgen, dass die Liebe nicht zerbricht.

Umriss

* Bleifarben

Farben

* Weiß
* Orange
* Rot
* Dunkelgrün
* Petrolgrün
* Royalblau
* Gold
* Kupfer

Sonstiges

* Goldener Glimmer

Vorlage

Nr. 69

Noch zarter wirkt das Hochzeitsbild, wenn Sie das Herz rosa oder hellblau ausmalen. Für eine Silber- oder goldene Hochzeit füllen Sie es mit Silber- bzw. Goldglitter.

Zur Geburt

Seht alle her! Ein neuer Erdenbürger hat das Licht der Welt erblickt. Sicherlich hat der Storch eine gehörige Portion Glück ins Bündel gepackt.

Umriss

* Schwarz

Farben

* Weiß
* Schneeweiß
* Gelb
* Orange
* Rosa (pastell)
* Hellblau (pastell)
* Royalblau

Vorlage

Nr. 70

Je nachdem, ob Sie die hellblauen Akzente auf dem Gefieder nass-in-nass oder nass-auf-trocken setzen, wirken sie verschwommen oder ganz exakt.

Viele Grüße

Mit Window-Color kann man auch originelle Grußkarten gestalten. Praktisch jedes Motiv in diesem Buch, das auf eine DIN-A6-große Karte passt, ist dafür geeignet. Experimentieren Sie auch mit einfachen geometrischen Mustern oder eigenen Entwürfen. Die nebenstehenden Karten sind nur als Anregung für Ihre eigenen Kreationen gedacht.

Segelboot

Dieses Motiv finden Sie auf Seite 77. Benutzen Sie Vorlage Nr. 35.

Fisch

Dieses Motiv finden Sie auf Seite 153. Benutzen Sie Vorlage Nr. 72.

Falten Sie den Karton einmal in der Mitte, und schneiden Sie auf der Vorderseite ein Fenster heraus. Von hinten wird dann die mit Window-Color bemalte Folie in den Ausschnitt geklebt. Ergänzt werden diese Bilder durch passende Formen aus Tonpapier, die auf die Karte geklebt werden. So wurden z. B. die Möwe und das Wasser auf der Karte mit dem Segelboot aus Tonpapier geschnitten und aufgeklebt. Auch die Fischflossen sind aus Tonpapier.

Freche Früchtchen

Der Sommer macht durstig. Da sind die saftigen Früchte auf Gläsern und Krug ein erfrischender Anblick.

Umriss

* Schwarz

Farben

* Weiß
* Hellgelb (pastell)
* Gelb
* Dunkelgelb
* Orange
* Rot
* Grasgrün
* Dunkelgrün

Vorlage

Nr. 71, 72

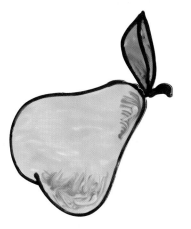

Ziehen Sie die Bilder vor dem Spülen ab. Kleben Sie sie erst wieder auf, wenn der Untergrund sauber und völlig trocken ist.

Unterwasserzauber

Mit diesen Fischen, Schnecken und Unterwasserpflanzen auf Spiegel, Fliesen oder Spülkasten wird jedes Badezimmer zum Urlaubsparadies.

Umriss

* Schwarz

Farben

* Dunkelgelb
* Rosa
* Pink
* Grasgrün
* Petrolgrün
* Hellblau

Sonstiges

* Bunter Glimmer
* Goldener Glimmer
* Transparente Glaskügelchen
* Goldene Perlen

Vorlage

Nr. 74

Weil die Motive so elastisch sind, können Sie sie sogar auf einem Duschvorhang aus Kunststoff anbringen.

Sommerliche Motive

Mit kleinen Motiven aus Window-Color-Farbe lassen sich Trinkgläser, Salatschüsseln und Teller ganz schnell originell schmücken, beispielsweise für die nächste Sommerparty.

Umriss

* Schwarz

Farben

* Weiß
* Dunkelgelb
* Orange
* Rot
* Grasgrün
* Royalblau
* Schwarz

Vorlage
Nr. 75

Mit Window-Color können Sie Tellerränder, Tassen und Gläser auch mit den persönlichen Monogrammen Ihrer Gäste verzieren. Eine hübsche Dekoration für besondere Anlässe.

Fröhlicher Küchen- schmuck

Früchte machen sich in der Küche eben- so gut wie Herzen und Blumen. Ob auf dem Toaster, auf dem Mixer oder auf der Frühstückstasse – die bunten Bilder sor- gen immer für gute Laune.

Umriss

* Schwarz

Farben

* Weiß
* Dunkelgelb
* Orange
* Rosa
* Pink
* Rot
* Grasgrün
* Dunkelgrün
* Olivgrün
* Schwarz

Vorlage

Nr. 71, 72, 73, 75

> Sie können die Klebkraft der Bilder auffrischen, indem Sie etwas Transpa- rent auf die Rückseite geben. Gut trocknen lassen!